GW00854753

CIBE

MICÍ S'AGAINNE

Arna scríobh ag **Caoimhin Mac a' Bhaird**
Arna mhaisiú ag **Christopher Ammentorp**

éabhlóid

MICÍ S'AGAINNE

An chéad chló 2018

ISBN 978-0-9956119-4-8

Arna scríobh ag Caoimhin Mac a' Bhaird
Arna dhearadh ag Christopher Ammentorp www.christopherammentorp.com

Arna chlóbhualadh ag Tien Wah Press, An Mhalaeisia

Tá Éabhlóid buíoch d'Fhoras na Gaeilge as tacaíocht airgeadais a chur ar fáil.

Foras na Gaeilge

eolas@eabhloid.com
www.eabhloid.com

Éabhlóid
Gaoth Dobhair
Tír Chonaill

éabhlóid

MICÍ S'AGAINNE

DEA-SCÉAL! TÁ MÉ AG DUL A BHEITH AR X-FACTOR!
TUSA? AG MAGADH ATÁ TÚ!
CIBÉ CAIDÉ

NÍ FHACA TUSA AN TALLANN ATÁ AGAM
CIBÉ CAIDÉ

TAISPEÁIN DOMH É, MAR SIN!

BEIDH ORT FANACHT LE hÉ A FHEICEÁIL AR AN TEILIFÍS!

NÍOS MOILLE...
PÓCAÍ FOLAMH'S CLOIGEANN TINN...

BHUEL? CAIDÉ MAR A D'ÉIRIGH LEAT?
FARAOR! DÚIRT SIAD LIOM MO GHUTH A THABHAIRT GO dTÍ AN X-GHATHÚ IN ÁIT AN X-FACTOR!
AMAC

MICÍ S'AGAINNE

IS FÉIDIR LINN DUL ÁIT AR BITH IS MIAN LINN ANOIS!
?
CAIDÉ ATÁ TÚ AG CAINT FAOI?

FÉACH! TÁ SATNAV NUA AGAM!
GO hIONTACH! CÁ RACHAIMID, MAR SIN?

ÁIT AR BITH IS MIAN LEAT! LONDAIN, NUA-EABHRAC, SAN JOSÉ...
LEAN DOMHSA!

HÉ HÚ!
ACH... FAN...
AIRE! DROICHEAD BRISTE!

SAN JOSÉ? HUTH! SAN ABHAINN!!!

MICÍ S'AGAINNE

TÁ AN tAIRGEAD AG ÉIRÍ GANN! RACHAIDH MÉ THART AG GLANADH FUINNEOG!

AN dTIG LIOM NA FUINNEOGA A GHLANADH?
CÁ MHÉAD?
DEICH EURO!

NÍOS MOILLE...
♫

SMÍSTE!
ÚÚÚPS!

COSNÓIDH AN FHUINNEOG SIN CAOGA EURO!

MICÍ S'AGAINNE

TÁ SÉ AN-CHIÚIN ANSEO FAOIN TUATH!
NÍ THARLAÍONN RUD AR BITH SUIMIÚIL SAN ÁIT SEO
CIBÉ CAIDÉ

TÁ FÓGRA AR AN CHRANN SIN!
FEICIM SIN!

FÉACHFAIDH MÉ CAIDÉ A DEIR SÉ

DEIR SÉ SEACHAIN AN TARBH!
IS FEARR RITH MAITH NÁ DROCHSHEASAMH!
AIGH!
CAIDÉ

MICÍ S'AGAINNE

BHUEL, A MHAM AGUS A DHAID, AN bhFUIL SIBH SÁSTA ANOIS?
HURÁ! CHUIR MICÍ SLACHT AR A SHEOMRA SA DEIREADH!

IS FÉIDIR LIBH BHUR gCLUICHE RÍOMHAIRE A IMIRT ANOIS, MAR A D'AONTAIGH MUID
CUIR AIR NA CLUICHÍ OILIMPEACHA AR AN CHONSÓL WII, CIBÉ CAIDÉ!
BOSA ARDA!

AGUS MAR SIN...
HÁ! NÍL TÚ INCHURTHA LIOM SA RÁS 100 MÉADAR!
SMÁLÚ AIR!

ACH NÍL MO LEITHÉID LE FÁIL I gCEIRD NA PIONSÓIREACHTA!
TOUCHÉ!
Ó!

PLAB! PLAB!
A DHIA! A LEITHÉID DE THORMÁN AS SEOMRA MHICÍ!

FÉACH ORM AGUS MÉ AG BRISEADH NA CURIARRACHTA OILIMPÍ SA CHLIATHRÁS 400 MÉADAR!
AGUS MISE AN LÉIM FHADA!

PLEASC!

A MHAM AGUS A DHAID, NÍOR THUIG MÉ RIAMH CÉN FÁTH NÁR BHAC SIBH LE CLUICHÍ RÍOMHAIRE!
DO SHEOMRA?
A DHIA NA GLÓIRE!

MICÍ S'AGAINNE

FÉACH, CIBÉ CAIDÉ, AN bhFEICEANN TÚ AN RUD A FHEICIMSE?
TCHÍM!
BEIRT FHEAR BRÉIGE I bPÁIRC! CAIDÉ FÁ dTAOBH DE?

MOTHAÍM RUD BEAG ÁBHAILLEACH INNIU!
NÁ hABAIR É! NÍ MAITH LIOM SEO
CAIDÉ ATÁ AR INTINN AGAT?

NÍOS MOILLE...
HÓIGH, A CHAITRÍONA! AN bhFACA TÚ NA FIR BHRÉIGE SIN?

M'ANAM!
TÁ CUMA FHÍORCHRUTHANTA ORTHU, A EOGHAIN!

BÚ!
A DHIA!

MUAHAHAHAHA!
CUIDIGH!
TÁ NA FIR BHRÉIGE BEO!

HÁ! HÁ! BHÍ CRAIC MAITH AGAINN! DÉANFAIDH MUID ARÍS AMÁRACH É!
SEA, CRAIC MAITH A BHÍ ANN! AN bhFACA TÚ A nAGHAIDHEANNA?

...AGUS BHÍ NA BUACHAILLÍ MÓRA SEO GLÉASTA MAR FHIR BHRÉIGE!
AGUS CHUIR SIAD AN TÓIR ORAINN AGUS SCANRAIGH SIAD MUID!
BHUEL, FÉACHAIMID AN FÉIDIR LINN BOB A BHUALADH ORTHU!

FÉACH, A MHAM, IS FÉIDIR LINN MIONSAMHAIL ÉIN A CHEANNACH AR LÍNE!
SEA AGUS MÁ CHUIREANN MUID ORDÚ ISTEACH ANOIS, IS FÉIDIR IAD A FHÁIL MAIDIN AMÁRACH!

AN LÁ DÁR gCIONN...
NACH bhFUIL NA hÉIN PAPIER-MÂCHÉ SEO AN-CHRUTHANTA?
TÁ, MACASAMHAIL AN DRÓIN SEO ATÁ I gCRUTH IOLAIR!
IOLAR

NÍOS MOILLE AN LÁ CÉANNA...
Á, SIN IAD, NA CUILCIGH!

CEART GO LEOR! RÉIDH, A PHÁISTÍ?
A TRÍ, A DÓ, A hAON!

LAINSEÁIL!

CUIDIGH!
IONSAÍ ÉAN!

Á HÁ! IS FEARR ÉAN I gCÚL DRÓIN NÁ BEIRT SA TOR!
HÁ! HÁ! D'OIBIR ÁR bPLEAN, A MHAM!
MAITH THÚ!

MICÍ S'AGAINNE

GLUB
LÉIM ISTEACH AGUS TABHARFAIDH MÉ SÍOB DUIT!

SEO CARR NUA D'ATHAR, NACH EA?
SEA, TÁ SIN CEART
TÁ CEAD AGAT É A THIOMÁINT, NACH bhFUIL?
CIBÉ CAIDÉ

BHUEL, NÍL I nDÁIRÍRE ACH NÍ BHEIDH A FHIOS AIGE
COIMHÉAD AN BHEAN SIN, A MHICÍ!
!

PLAB!
A AMADÁIN!
ANOIS CAIDÉ ATÁ MUID AG DUL A DHÉANAMH?

NÍOS MOILLE...
CAIDÉ AN CHUMA CHIONTACH SIN ATÁ ORT?
NÍL DADA ORM, A DHAID! NIGH MÉ DO CHARR NUA DUIT

I nDÁIRÍRE?
AN bhFUIL AON DEA-SCÉAL EILE AGAT DOMH?
ÉIRE INIU

TÁ, A DHAID! TÁ DO CHUID MÁLAÍ AEIR AG OBAIR!
!

TÁ MO CHARR NUA SCRIOSTA! TAR AR AIS ANSEO!
DÉANFAIDH MÉ DO THÓIN CHOMH MÓR LE MÁLAÍ AEIR MÁ FHAIGHIM GREIM ORT!
A MHAMAÍ, CUIDIGH! TÁ A CHIALL CAILLTE AG DAIDÍ!

MICÍ S'AGAINNE

TÁ BRÓN ORM, A BHUACHAILLÍ! NÍ FÉIDIR LIOM CLUICHE LEADÓIGE A IMIRT LIBH INNIU!

TÁ MÉ I bhFEIGHIL PÁISTÍ NA gCOMHARSAN...
...AGUS TÁ SIAD I nDIAIDH SOCRÚ SÍOS!
HURÁ! TÁ SEÓ CHAITLÍNE & CHONCHÚIR AR AN TEILIFÍS!

BHUEL, CAITHFIDH MÉ CIBÉ CAIDÉ A BHUALADH MÉ FÉIN, MAR SIN!
HÁ! HÁ!
SLEAMHNAIGH!
SMÍSTE!
BÚ HÚ!
BHRIS MICÍ AN TEILIFÍS!

NÁ BÍGÍ BUARTHA, A BHUACHAILLÍ! SMAOINEOIDH MUID AR DHÓIGH CHUN SIAMSAÍOCHT A CHUR AR FÁIL DAOIBH, NACH SMAOINEOIDH, A MHICÍ?
CAD AIR A bhFUIL TÚ AG CAINT, A GHRÁINNE?

MAR SIN...
TUIGE AN bhFUIL TÚ CHOMH hAMSCAÍ SIN?
Á, DRUID DO BHÉAL!
GO hIONTACH, A BHUACHAILLÍ! TÁ SEO I bhFAD NÍOS FEARR NÁ AN TEILIFÍS!
HÁ! HÁ!
HURÁ!

MICÍ S'AGAINNE

CLUINIM GO RAIBH CRUINNIÚ ACU ARÉIR
NÍOR GHLAC SIAD I bhFAD AN COMHARTHA A CHUR SUAS
Garda Síochána
POBAL AR AIRE
CIBÉ CAIDÉ

AN bhFUIL TÚ AG DUL GO dTÍ AN CHÓISIR CHULAITHE BRÉIGE ANOCHT?
Cóisir Chulaith Bréige
Dé Sathair
Bealtaine 20
TÁ! AN bhFUIL TÚ FÉIN AG DUL?

TÁ! CAIDÉ NÓ CÉ A BHEAS IONAT?
NÍL MÉ AG INSE DUIT!
NÍL MISE AG INSE DUITSE ACH OIREAD!

FEICFIDH MÉ THÚ ANSEO AG A hOCHT!
SLÁN!

NÍOS MOILLE...
BHUEL, SAMHLAIGH SIN!
GADAÍ AGUS GARDA!

?!
Biachlár
Ó! AN GADAÍ É SIN?
SEA, Ó PHOBAL AR AIRE ...AN FÉIDIR LIOM LABHAIRT LEIS AN tSÁIRSINT?
AGUS...
AGUS CÉN tÁBHAR GÁIRE ATÁ AGATSA? BEIDH MÉ DO DO GHABHÁIL AR BALL DE BHARR GO BHFUIL TÚ GLÉASTA MAR GHARDA!

MICÍ S'AGAINNE

CAIDÉ A THARLA ANSEO?
POBAL AR AIRE
NÍ FÉIDIR AN COMHARTHA SIN A LÉAMH!

TÁ DROCH-CHUMA AR AN CHOMHARTHA SIN
TÁ, ACH D'FHÉADFAÍ É A CHÓIRIÚ!
POBAL AR AIRE

CAIDÉ ATÁ TÚ AG DUL DE, A MHICÍ?
NÍL MÉ ACH AG BOGADH THART NA LITREACHA

AGUS SA DEIREADH, LE MO MHARCÓIR BUAN...
...CÓIREOIDH MÉ AN LITIR SEO!

TÁ SÉ DÉANTA!
IORA AR LEABP
OBAIR MHAITH, A MHICÍ!

?!

MICÍ S'AGAINNE

AN bhFUIL CRAIC AR BITH LEAT?
CHUAIGH MÉ CHUIG BEAN FEASA
CAIDÉ

CAIDÉ A FHEICEANN TÚ I nDÁN DOMH?
FEICFIDH MÉ DO CHUID AIRGID AR dTÚS!

FEICIM THÚ AT TEACHT ANUAS AN CNOC GO hAN-GHASTA...AGUS FEICIM DHÁ MHAIDE!

GO RAIBH MAITH AGAT!

Madame Cristal
AIGH!

HÁ! HÁ! NÍ SIN AN DÁ MHAIDE A BHÍ AR INTINN AGATSA!
CIBÉ CAIDÉ
A UASCÁIN!

MICÍ S'AGAINNE

IS É DO LOCHTSA GO hIOMLÁN, A MHICÍ, GUR THEIP ORAINN AN BUS DEIREANACH A FHÁIL AR AIS CHUN AN BHAILE MHÓIR!
ÁRÚ, NÁ BÍ BUARTHA, A GHRÁINNE, TÁ MÉ CINNTE GO bhFAIGHIDH MUID SÍOB!

HÁ! HÁ! A LEITHÉID DE SHEANCHARR!
BHEADH MUID INÁR nÁBHAR GÁIRE AG AN BHAILE MHÓR DÁ dTIONTÓDH MUID SUAS SA tSEANRUD SIN!
ACH TÁ SÍOB DE DHÍTH ORAINN!

AMHARC AR AN GHEÁITSEÁLAÍ SIN INA CHARR GALÁNTA!
DÉAN DEARMAD DE!
?

NÁ DÉAN COMHARTHAÍ AR BITH! NÍ FÉIDIR LINN SÍOB A GHLACADH LEISEAN!
CAD CHUIGE?

NÁR AITHIN TÚ AN TIOMÁNAÍ? DÁITHÍ Ó MURCHÚ ATÁ ANN!
TÁ MÉ €20 I bhFIACHA LEIS!

GLACFAIDH MUID LEIS AN CHÉAD CHARR EILE A STADANN, IS CUMA CAD LEIS A bhFUIL SÉ COSÚIL!
CEART GO LEOR!

COINNÍGÍ GREIM TEANN ANSIN, TÁ AN DOINEANN AG TEACHT ÁR mBEALACH!
GNÚSACHT!
BRR!
GNÚSACHT!

MICÍ S'AGAINNE

NÍL TÁSC NÁ TUAIRISC AIR!
AN bhFUIL AON IOMRÁ AR AN LEIPREACHÁN ISTIGH ANSIN?
TÁ SEO DODHÉANTA!
CIBÉ CAIDÉ

Á HÁ! CÉ SIN AG CEOL FAOI NA DUILLEOGA?
CIBÉ

TÁ DO RÁS RITE ANOIS, A CHAILLEACH!
NÁ LIG DÓ IMEACHT UAIT AGUS NÁ TÓG DO SHÚILE DE!
CIBÉ CAIDÉ

Lig domh, nó ní bheidh aon ádh ort!
NÍ LIGFIDH GO nINSEOIDH TÚ DÚINN CÁ hÁIT AR CHUIR TÚ I bhFOLACH DO PHRÓCA ÓIR!
CIBÉ CAIDÉ

Ó, maith go leor!
...faoin bhuachalán bhuí sin thall!

CEANGLÓIDH MÉ RIBÍN DEARG THART AIR, CHUN É A AITHINT NÍOS MOILLE
CIBÉ CAIDÉ

FAN ANSEO! RACHAIDH MÉ 'NA BHAILE LE SPÁD A FHÁIL LE DHUL A THOCHAILT LEIS!

IS TRUA NACH gCÓNAÍM NÍOS GIORRA DON ÁIT SEO!

HNNNG!
CÚIG CHILIMÉADAR EILE AR AIS CHUN NA FORAOISE!

COINNIGH ORT!
TÁ MÉ BEAGNACH ANSIN!

ACH! CÁ bhFUIL AN LEIPREACHÁN?
? ?
CAD É

É...D'IARR SÉ ORM AMHARC AR MO CHÚL AGUS NUAIR A THIONTAIGH MÉ THART ARÍS, BHÍ SÉ AR SHIÚL!
Hí! Hí! Hí!
BHUAIL SÉ BOB ORAINN!
NÍ THIOCFAIDH MUID AR AN PHRÓCA ÓIR ANOIS CHOÍCHE!

SEO DO LOCHTSA!!!
D'INIS MÉ DUIT GAN DO SHÚILE A THÓGÁIL DE!
A MHICÍ!
FÁG UAIT AN SPÁD SIN!

Cuireadh beirt amlóir óg
ag cuardach ratha agus clú
d'imigh siad abhaile go beo
gan saibhreas faoi bhrú!

MICÍ S'AGAINNE

IS MISE HENRY SHEFFLIN! CILL CHAINNIGH ABÚ!
NÁ BÍ AMAIDEACH! TIOBRAID ÁRANN ABÚ!

GLAAAM!
COIMHÉAD TÚ FÉIN AR AN MHADADH SIN!
NÍ MAITH LIOM AN DROCHGHNÚIS ATÁ AIR!

FAN GO bhFEICE TÚ SEO!
FAIC!
BÍ CÚRAMACH!
PLÉASC

BÚISTÉIR
Ó! Ó!

TAR AR AIS ANSEO, A BHITHIÚNAIGH!
RITH LE D'ANAM!
BÍODH GEALL AIR NACH RAIBH AN FHADHB SEO AG CÚ CHULAINN!

MICÍ S'AGAINNE

TÁ MICÍ AGUS CIBÉ CAIDÉ ...I nDIAIDH CEACHTANNA KARATE A THOSÚ
AN-MHAITH AR FAD!
HÁ! TÁ TÚ GAFA AGAM ANOIS!

GO RAIBH MAITH AGAT, A MHÁISTIR YANG!
GLAC GRIANGHRAF DE SEO DO M'FHUÍOLL-LEABHAR!
CLIC!

ANOIS, A MHICÍ, TABHAIR IARRAIDH AR NA LEACÁIN SEO A BHRISEADH LE DO LÁMH
FURAST!
¡AAARRRGH!!
CRAIC!
BRIS NA BRÍCÍ SEO LE DO CHEANN IN ÁIT DO LÁIMHE

HOIGH -IACH!
FARAOR!
PLAB!
IS IAD NA BRÍCÍ A D'IARR MÉ ORT A BHRISEADH, NÍ DO CHLOIGEANN!

GO RAIBH MAITH AGAT, A MHÁISTIR YANG! TÁ AN GRIANGHRAF SEO DE DHÍTH ORMSA DO M'FHUÍOLL-LEABHAR FÉIN!
HÁ! HÁ!
CLIC!
Ó, NÍL MÉ AG MOTHÚ GO RÓMHAITH!

MICÍ S'AGAINNE

Saighead eile anseo, a bhean uasal! I gcroílár na sprice arís
Go hiontach!

Caithfidh mé teacht ar an aimsitheoir seo!

Níos moille...

An tusa an boghdóir atá i ndiaidh na spriocanna seo uilig a bhualadh?

Is mé, go deimhin, a bhean uasal!

Ní rud é go siúlann tú suas chuig na spriocanna agus go mbuaileann tú na saigheada isteach ina gcroílár, an é?

Ní hé, a bhean uasal. Scaoilim i dtreo an chrainn iad agus mé céad coiscéim ar shiúl...

...agus ansin déanaim na spriocanna a phéinteáil thart orthu!
Caidé?

A bhithiúnaigh!
MÚSCAIL SUAS, A MHICÍ!
Hnng!

GOITSE, A CHODLATÁIN!
AN bhFUIL TÚ RÉIDH DON CHLUICHE LEADÓIGE SIN?
HUTH?

MICÍ S'AGAINNE

TÁ MÉ AN-BHRÓDÚIL AS AN CHRANN DARA UASAL SEO!
A THIARCAIS! IS CRANN IONTACH É GO DEIMHIN!

CÉN AOIS É?
Ó, CAITHFIDH SÉ A BHEITH CÚPLA CÉAD BLIAIN D'AOIS, AR A LAGHAD
DÁIRÍRE?

NACH mBEADH SÉ SUIMIÚIL A AOIS BHEACHT A AIMSIÚ?
TABHARFAIDH MÉ AINM CRANNLIA AN-MHAITH DUIT. TIOCFAIDH SEISEAN AR A AOIS GAN MHOILL!
Ó!

ACH, THIOCFADH LIOMSA A AOIS A FHÁIL AMACH GAN STRÓ, A DHUINE UASAIL...

...SHÁBHÁLFADH SÉ CUID MHÓR AIRGID DUIT
AN bhFUIL TÚ CINNTE?
TÁ AN-CHION AGAM AR AN CHRANN SIN

NÍOS MOILLE
A DHUINE UASAIL, TÁ AN CRANN SIN 317 BLIAIN D'AOIS!
NACH IONTACH SIN!

CÉN DÓIGH A dTIG LEAT A BHEITH CHOMH CRUINN FAOINA AOIS?
TAR LIOM GO bhFEICFIDH TÚ!

LEAG MÉ É AGUS CHUNTAS MÉ NA FÁINNÍ, A DHUINE UASAIL!

IS TÚ AN GIOLLA FAICHE IS MEASA RIAMH!
FÁG MO THALAMH LÁITHREACH!
BHUF! BHUF!

MICÍ S'AGAINNE

IS MISE AN tIMREOIR DAIRTEANNA IS FEARR IN ÉIRINN!!!
CRUTHAIGH É AGUS BUAIL AN tSÚIL SPRICE!
CIRÉ CAIDÉ

GLAC GO BOG É! CÁ bhFUIL AN CLÁR DAIRTEANNA?
CIRÉ CAIDÉ

CEART GO LEOR! FAIGH AN CAOGA ANOIS!
Club na nog

I gCEARTLÁR, DÍREACH I LÁR BÁIRE!

DÁIRÍRE?
HOIPS!

FUAIR TÚ SÚIL TAIRBH AR AON NÓS! HÁ! HÁ!
REAL MAESTRANZA DE SEVILLA
EXTRAORDINARIA CORRIDA
MIGUEL

MICÍ S'AGAINNE

TÁ AN FREAGRA SIN MÍ-CHEART
...AGUS NÍ DHÉANANN A CEATHAIR AGUS A CEATHAIR A SÉ ACH OIREAD!
4+4=6
SUIGH SÍOS, A MHICÍ!

AN bhFUIL TUSA MAITH AG AN UIMHRÍOCHT, A MHÁISTIR?
NACH CINNTE GO bhFUIL!

...NÍ FÉIDIR LEAT A BHEITH I DO MHÁISTIR MATAMATAICE MURA bhFUIL TÚ MAITH AG AN UIMHRÍOCHT!

MAR SIN, AN dTIOCFADH LEAT AN CHEIST SEO A FHUASCAILT, A MHÁISTIR?
BHUEL, TÁ AN tAM THUAS ACH LEAN ORT, IS MAITH LIOM CEISTEANNA MATAMAITICE

AN FÉIDIR LEAT AON A BHAINT AR SHIÚL Ó NAOI DÉAG AGUS FICHE A BHEITH FÁGTHA AGAT?
TÁ SIN DODHÉANTA!
NÍ FÉIDIR LE hAON DUINE SIN A DHÉANAMH!

IS FÉIDIR LIOMSA, A MHÁISTIR!
MÁ BHAINIM ÚSÁID AS UIMHREACHA RÓMHÁNACHA MAR SEO...
XIX
MMM! AGUS?!...

...AGUS AN "I" A THÓGÁIL AR SHIÚL...

...FÁGTAR MÉ LE A FICHE!
Ó, A MHICÍ, TÁ TÚ DOMHÚINTE!
X X

MICÍ S'AGAINNE

NÍL LE DÉANAMH ACH GACH CÁCA A SHEICEÁIL SULA gCUIRTEAR AN tUACHTAR AGUS NA SILÍNÍ ORTHU...
...AGUS ANSIN CUIR NA CÁCAÍ LOCHTACHA SA BHRUSCAR

AN SÍLEANN TÚ GUR FÉIDIR LEAT SIN A LÁIMHSEAIL?
IS...IS FÉIDIR, A DHUINE UASAIL

MAITH GO LEOR! FÁGFAIDH MÉ FÚT É MAR SIN
CAITHFIDH MÉ BUALADH LEIS AN LUCHT BAINISTÍOCHTA ANOIS!

CUIRFIDH MÉ M'FHÓN PÓCA AR SHIÚL SULA dTOSAÍM!
CLUP

AGUS...
MÉANFACH!
TÁ AN OBAIR MHONARCHAN SEO FÍOR-LEADRÁNACH!
CLUP
CLING-CLEAING

DIDIL!
DIDIL!
DIDIL!
DIDIL!
DIDIL!

SEA?! AN TÚ ATÁ ANN "CIBÉ CAIDÉ"?
NÍ FÉIDIR LIOM THÚ A CHLUINSTIN LEIS AN TORMÁN SEO

Ní bhFUAIR MÉ IASACHT DE CHLUICHE SNÚCAIR RÍOMHAIRE!
CLUP

SCRIOS DEARG!
NÍOR SHEICEÁIL MÉ AR AN DOSAEN CÁCA DEIREANACHA SIN DE BHARR "CIBÉ CAIDÉ" A BHEITH AR AN FHÓN!
CLING-CLEAING-CLING-CLEAING

MÁ CHRUINNÍM SUAS NA CÁCAÍ NÁR SHEICEÁIL MÉ, B'FHÉIDIR GO mBEINN SLÁN!

Ó, DIA LINN! SIN AN FÓN PÓCA ARÍS!
DIDIL! DIDIL! DIDIL! DIDIL! DIDIL! DIDIL! DIDIL! DIDIL! DIDIL! DIDIL! DIDIL! DIDIL!

SEA, A MHAMAÍ... BA MHAITH LIOM PRÁTAÍ LE MO STOBHACH!
NÍ hEA RÍS! D'INIS MÉ DUIT!

DAMNÚ! RINNE MÉ DEARMAD AR NA CÁCAÍ ARÍS!
CLING-CLEAING

BEIDH ORM AN MAIDE ÉIGEANDÁLA A THARRAINGT!

TÁ MÉ I nDIAIDH AN MAIDE A THARRAINGT AN BEALACH CONTRÁILTE!
NÍ HEÁ! STAD
LÁNCHUMHACHT

PLAP!
CAITHFIDH MÉ...
GLUG!
CLING-CLEAING

NÍOS MOILLE...

CAIDÉ ?!
NÍ SEO MO LOCHTSA!
A MHICÍ, CAIDÉ ATÁ AG DUL AR AGHAIDH ANSIN? AN bhFUIL TÚ I dTRIOBLÓID ARÍS, A MHICÍ?
THARLA SEO UILIG DE BHARR AN FHÓIN PHÓCA DHAMANTA SEO!

MICÍ S'AGAINNE

SIN PERCY AN PLUIMÉIR INA CHARR GLEOITE!
Ó, CAITHFIDH SÉ GO bhFUIL AIRGEAD SA PHLUIMÉIREACHT!
TÁ, ACH GLACANN SÉ BLIANTA LE hÍ A FHOGHLAIM
AMAIDÍ! D'FHÉADFÁ Í A FHOGHLAIM AS LEABHAR GAN STRÓ AR BITH!

AGUS MAR SIN DE...
TAR ANUAS A MHICÍ! TÁ ROS NA RÚN AR AN TEILIFÍS!
an pluiméir
NÍ THIG LIOM ANOCHT!
TÁ MÉ AG STAIDÉAR!

DHÁ LÁ DÁR gCIONN...
GO hIONTACH! NÍOR GHLAC SÉ I bhFAD THÚ!
MICÍ SÁR-PHLUIMÉIR
SEA, TÁ DO LEITHREAS & CITHFHOLCADÁN AG OBAIR I gCEART ANOIS!

ÁÁÁÁ, A DHAIDÍ! TÁ UISCE AN CHITHFHOLCADÁIN SIN SIOCTHA!
?!

A DHAID, TÁ UISCE SCALLTACH AG TEACHT AMACH AS AN LEITHREAS!
BHÍ MÉ FRÍD A CHÉILE IDIR TE AGUS FUAR!
?!
TÁ MÉ BUARTHA...

AN RAIBH ANOIS?
BEIDH TÚ FRÍD A CHÉILE LE TÓIN THINN AGUS CLOIGEANN THINN MÁ FHAIGHIMSE GREIM ORT!
AIGH!

MICÍ S'AGAINNE

NÍL MÓRÁN DÚIL AG DAOINE IONAM, CIBÉ CAIDÉ!
Ó, NÁ hÁBAIR SIN, A MHICÍ!

CÉN FÁTH NACH nDÉANANN MUID FÍSEÁN DÍOT AGUS É A CHUR SUAS AR AN IDIRLÍON?
B'FHÉIDIR GO nDÉANFAÍ É A MHEARSCAIPEADH AGUS ANSIN BHEADH CION AG CÁCH ORT!

ANOIS, TÓG GO BOG É
ABAIR RUD ÉIGIN FÚT FÉIN, GO DÍREACH
ABAIR CAIDÉ?
RUD AR BITH. INIS DÚINN CAIDÉ A RINNE TÚ INNIU

TÁ DO CHÉAD FHÍSEÁN RÉIDH! TÁ MÉ Á UASLÓDÁIL ANOIS!
Micí
HÁ HÁ! MICÍ AN FÍSBHLAGÁLAÍ CLÚITEACH!

AGUS MAR SIN...
A MHICÍ, A MHICÍ, AN dTIG LIOM FÉINPHIC A GHLACADH LEAT?
Á HÁ! CHONAIC DUINE ÉIGIN D'FHÍSEÁN AR LÍNE!

CATHA
TÁ DÚIL MHÓR AGAM I D'FHÍSBHLAG!
BHUEL, GO RAIBH MAITH AGAT!
FÉACH! SIN É!

A MHICÍ, BA MHAITH LIOMSA GRIANGHRAF LEAT FOSTA!
FÉACH, A SHIOBHÁN, IS É ATÁ ANN!

CHOMH GEANÚIL IS ATÁ SÉ!
ANOIS, TÓG GO BOG É!
A MHICÍ, A GHRÁ!
MO CHAIPÍN!

TAR AR AIS!
DROCHÁDH ORTSA, CIBÉ CAIDÉ AGUS DO SMAOINTE CLISTE!
HÁ! HÁ!
IS TÚ AN DUINE IS MÓ A bhFUIL GEAN AIR SA CHEANTAR ANOIS!

MICÍ S'AGAINNE

BHUEL, A MHICÍ, D'FHÉADFADH MUID GAIRM ÚR A BHEITH AGAINN MAR DHEARTHÓIRÍ INTÍ!
CINNTE, CAD CHUIGE NACH bhFÉADFADH!
NÍL A FHIOS AGAM CÉ MHÉAD ROLLA PÁIPÉAR BALLA A BHEAS DE DHÍTH DO NA BALLAÍ?
FIAFRAIGH DEN CHOMHARSA BÉAL DORAIS!
CIBÉ CA

CLING! CLING!

CAIDÉ ATÁ TÚ A DH'IARRAIDH?
HAIGH, CÉ MHÉAD ROLLA PÁIPÉAR BALLA A CHEANNAIGH TÚ DO DO BHALLAÍ FÉIN?
DHÁ CHEANN DÉAG DE ROLLAÍ

AGUS MAR SIN...
Beidh orainn troid, troid, troid, troid, troid don ghrá seo...

TÁ MUID UILIG CRÍOCHNAITHE AGUS TÁ SÉ ROLLA PÁIPÉAR BALLA FÁGTHA!
CAIDÉ A BHÍ NA hAMADÁIN SIN BÉAL DORAIS AG CAINT AIR?

CLING! CLING!

CAIDÉ ATÁ DE DHÍTH ORT ANOIS?
TÁ SÉ ROLLA PÁIPÉAR BALLA FÁGTHA AGAMSA!

TÁ, AGUS BHÍ SÉ ROLLA FÁGTHA AGAINNE FOSTA!
CAD CHUIGE NÁR INIS TÚ SIN DOMH SA CHÉAD ÁIT?
CAD CHUIGE NÁR CHUIR TÚ CEIST?

PLAB!
MURA nIARRA TÚ NÍ bhFAIGHIDH TÚ!
FÁILTE

MICÍ S'AGAINNE

AN DUINE PISREOGACH THÚ, A MHICÍ?
MISE? Ó, NÍ CHREIDIM I bPISREOGAÍ AR CHOR AR BITH!
NÍ BHEADH AON FHADHB AGAT SIÚL THAR AN REILIG SIN, MAR SIN?

NÍ BHEADH FADHB AR BITH!
AR AGHAIDH LINN!

CEANN DOMHSA...
CEANN DUITSE...

CEANN DOMHSA...
CEANN DUITSE...

CUIDIGH!
FAN!

NÍ MAR SIN ATÁ SÉ, A MHICÍ!
TAR AR AIS LIOMSA GO bhFEICE TÚ!

IN AINM DÉ!
NACH MÉ AN tAMADÁN!
CEANN DOMHSA... CEANN DUITSE...

MICÍ S'AGAINNE

A MHICÍ!
SEO AN FÁTH NACH bhFACA ÉINNE THÚ LE MÍ ANUAS!

BHÍ MÉ AG AMHARC AR ROINNT CLÁRACHA TEILIFÍSE IONTACHA!

CRAOBHCHOMÓRTAS PEILE NA hEORPA AR dTÚS...
...AGUS ANOIS NA CLUICHÍ OILIMPEACHA!
SEA, TCHÍM SIN!
AGUS TÚ AG ITHE TONAÍ BIA BEAGMHAITHEASA!

TÁ ROINNT ACLAÍOCHTA DE DHÍTH ORTSA, A PHAITIGH!
!

STAD, A GHRÁINNE, LE DO THOIL!
GOITSE, A MHICÍ, MÍLE AMHÁIN EILE!
SEAD! CNEAD!

I nDIAIDH MÍOSA...
TÁ TÚ CHÓIR A BHEITH AR AIS AR DO SHEANRÉ, A MHICÍ!
TÁ!

TUISLE!

Ó, MO CHOS! SÍLIM GO bhFUIL SÍ BRISTE!
Ó, NÁ hABAIR É!

TRÍ SEACHTAINE NÍOS MOILLE...
BA CHÓIR DUIT TRIAIL A BHAINT AS AN CHÍSTE CÁISE SEO, A GHRÁINNE!
ÉIRÍM AS!

MICÍ S'AGAINNE

A MHICÍ, AN bhFUIL SÉ FÍOR GO bhFUIL PRÓCA ÓIR AG BUN AN BHOGHA BHÁISTÍ?
BHUEL...

...NÍL ACH BEALACH AMHÁIN LE FÁIL AMACH!
GO DÍREACH

ACH...
BHUEL, SEO AN ÁIT A RAIBH SÉ

Á! SIN É!
BÍ CINNTE AGUS MARC A CHOINNEÁIL AR AN ÁIT AN CHÉAD UAIR EILE!
CEART GO LEOR!

AN bhFUIL TÚ CINNTE GUR SEO AN ÁIT?
TÁ! SEO É GO DEIMHIN
MHARCÁIL MÉ AN ÁIT DÍREACH IN AICE LEIS AN CHARRAIG MHÓR SIN

!
BÍ AG TOCHAILT!

CAIDÉ ATÁ Á DHÉANAMH AGAIBH? IMÍGÍ AS MO THALAMH, A BHITHIÚNAIGH!
BHUF! BHUF!
PRÓCA ÓIR, MO THÓIN!
SEA, AGUS TÓIN THINN, LENA CHOIS SIN!

MICÍ S'AGAINNE

BHÍ TÚ TAMALL FADA. CÁ hÁIT A RAIBH TÚ?
BHÍ MÉ AG SIOPADÓIREACHT SA BHAILE MHÓR AGUS FUAIR MÉ MARGADH!
CAIDÉ

IN AINM DÉ, NÁ CUIR BRÓGA AR AN TÁBLA!
CAIDÉ ATÁ CEARR LEAT?
CIBÉ CAIDÉ

CÉN FÁTH NACH gCUIRFINN BRÓGA AR AN TÁBLA?
A AMADÁIN! NACH bhFUIL A FHIOS AGAT GUR DROCHÁDH É BRÓGA A CHUR AR AN TÁBLA, DÍREACH COSÚIL LE BHEITH AG SIÚL FAOI DHRÉIMIRE?

NÍOS MOILLE
SEACHAIN! NÁ SIÚIL FAOIN DRÉIMIRE SIN!
AMAIDÍ! NÍ CHUIREANN SIN ISTEACH NÁ AMACH ORMSA!
CIBÉ CAIDÉ

PLAB!

BHUEL, MÁS DEA-ÁDH É SIN, NÍOR MHAITH LIOM DROCHÁDH A FHEICEÁIL!
MÍLE BUÍOCHAS!
CIBÉ CAIDÉ

MICÍ S'AGAINNE

CAIDÉ ATÁ TÚ A CHUARTÚ, A MHICÍ?
DÓIGH INTEACHT LE ROINNT AIRGID A DHÉANAMH!
CIBÉ CAIDÉ
SMAOINEAMH AR BITH AGAT?

AG SIÚL MADAÍ? FREASTALAÍ CAIDÉIL PHEITRIL
NÍ SHÍLIM É!
BHEADH SIAD SIN RÓCHRUA
CIBÉ CAIDÉ

TÁ A FHIOS AGAM!
RACHAIDH MÉ AG BUSCÁIL!

ACH NÍL NÓTA IN DO CHLOIGEANN, A MHICÍ!
GABH MO LEITHSCÉAL!
CREIDIM GO dTIOCFADH LINN É A THRIAIL?

NÍOS MOILLE...
ÓRÓ SÉ DO BHEATHA ABHAILE...
FOSCAILTE
BHUF!
BHUF!

AACCHH! STAD!
TÁ TÚ CHOMH hOLC SIN GO nÍOCFAIDH MUID THÚ LE STOPADH!
??

NÁR INIS MÉ DUIT GO nDÉANFADH MUID AIRGEAD!

MICÍ S'AGAINNE

Ó, NACH IONTACH AN LAOCH Í KATIE TAYLOR!
SÍLIM GO dTOSÓIDH MÉ AR AN DORNÁLAÍOCHT

SIN MISE, CEANN DE NA LAETHANTA SEO

NÍOS MOILLE...
CÁ FHAD EILE A bhFUIL TÚ AG DUL A RITH?
CÚIG MHÍLE DHÉAG EILE!

CÉ MHÉAD LÉIM EILE, A MHICÍ?
TRÍOCHA!

BUILLE!
SEO DHUIT, GLAC SEO!

BLOSC!
ACH!

SÍLIM GO bhFUIL CORÓIN KATIE SÁBHÁILTE GO LEOR!
HÁ! HÁ!

MICÍ S'AGAINNE

NACH MUID ATÁ 'COOL' SA CHARR DEAS SEO A FUAIR MÉ AR IASACHT?
'COOL' GO DÍREACH!

HOIPS, GABH MO LEITHSCÉAL, A SHEANFHIR!
COIMHÉAD, A MHICÍ!
Ó!
PLEIST!

GRRR!
BHRÚM!
A UASCÁIN DHÍMHÚINTE!

AN bhFEICEANN TÚ AN FEAR SIN AR AN ROTHAR?
ANOIS, COIMHÉAD AN PÍOSA TIOMÁNA SEO!

CAIDÉ?!
PLUIST!

HÁ! HÁ! TÁ AN tUISCE NÍOS DOIMHNE NÁ MAR A SHÍL TÚ, A MHIC!

A AMADÁIN, A MHICÍ!
TÁ MUID 'COOL' ANOIS, CEART GO LEOR -AGUS FLIUCH BÁITE LENA CHOIS!
AITIÚÚÚ!

MICÍ S'AGAINNE

TÁ BEARRADH GRUAIGE MAITH DE DHÍTH ORM, A PHIERRE
AONTAÍM LEAT, MONSIEUR MICÍ!

AN dTRIAILFIMID STÍL GHRUAIGE NUA?
CEART GO LEOR

CAIDÉ DO BHARÚIL?
PFFT! PFFT!
FOLTBHUÍ! NÍL MÉ CINNTE GO bhFÓIREANN SÉ DOMH

ATHRÓIDH MÉ É
BÍONN AN CUSTAIMÉIR I gCÓNAÍ CEART!

AGUS...
Ó, RINNE MÉ DEARMAD A RÁ NACH MAITH LIOM GRUAIG CHATACH!

TÁ SÉ NÍOS FEARR, ACH TÁ SÉ RÓFHADA GO FÓILL
CEART GO LEOR

ACH ANOIS TÁ SÉ RÓFHADA AR THAOBH AMHÁIN
...AGUS RÓGHAIRID AR AN TAOBH EILE!

AN tSEACHTAIN DÁR gCIONN
HÓIGH, A MHICÍ, FAN! NÍ FHACA MÉ THÚ LE FADA!

BHAIN SÉ CAOGA EURO DOMH!
BHUEL, FUAIR TÚ LUACH DO CHUID AIRGID AR SCOR AR BITH! HÁ! HÁ!

MICÍ S'AGAINNE

BRRR! NÍL IOMRÁ AR BITH AR OILEÁN THORAÍ GO FÓILL, A CHAIFTÍN BREANDÁN!
HÁ! HÁ! NÍL AN BHEIRT CHASLÓIRÍ CLEACHTAITHE LEIS AN AIMSIR SEO!

GLACANN SÉ SEANMHAIRNÉALACH MAR MISE LE CUR SUAS LEIS AN DOINEANN SEO!
AN bhFUIL TÚ CINNTE NACH bhFUIL TÚ TINN, A MHICÍ?
Ó TÁ!

TÁ OCRAS ORMSA!
DHÉANFADH STOBHACH GAELACH CÚIS DOMHSA!
HÁ! HÁ!

NÍ hEA! CABÁISTE BRUITE AGUS ISPÍNÍ!
DÁIRÍRE?
FRIOCHADH MÓR!

SICÍN TIKKA MASALA!
ISPÍNÍ AGUS BRÚITÍN!

BOLG MUICEOLA!
RUIPLEOG!
DRUIDIGÍ BHUR mBÉIL, AN BHEIRT AGAIBH!

NÍL CUMA RÓMHAITH ORT, A CHAIFTÍN!
LEIGHEASFAIDH SPÚNÓG MHÓR D'OLA AE TROISC SIN!

OLA AE TROISC!?
AILP!

DÚIRT SIBH NACH RAIBH AN CAIFTÍN ÁBALTA AN BÁD A SHEOLADH!?
NÍ THUIGIMID!

MICÍ S'AGAINNE

HURÁ! TÁ AN SAMHRADH ANSEO SA DEIREADH! SEO MUID AG DUL GO LOCH GARDA!
Ó BEIDH SÉ AR FHEABHAS AN AIMSIR FHLIUCH GHAELACH SEO A FHÁGÁIL INÁR nDIAIDH!
5
AN IODÁIL

SEO É ÓSTÁN CARAVAGGIO, AN ÁIT A bhFUIL MUID...

CHUIR TÚ DO CHÁS MÓR SALACH SÍOS AR CHOS MO MHNÁ CÉILE!
AIGH!
5

TÁ MÉ BUARTHA, A DHUINE UASAIL!
CEART GO LEOR. BÍ NÍOS CÚRAMAÍ Ó SEO AMACH!

I gCIONN UAIRE...
ÓS RUD É GO bhFUIL MUID AG DUL GO dTÍ AN IODÁIL...

...NÍOR CHÓIR DÚINN AON RUD ACH BIA AGUS DEOCH IODÁLACH A BHEITH AGAINN!
BÍB!
AN IODÁIL
SMAOINEAMH MAITH!

SEA, A DHUINE UASAIL?
AN bhFUIL DEOCHANNA BOGA IODÁLACHA AGAT?
UNA

AGUS...
CAIDÉ SEO, A MHICÍ?
CRODINO!
AN IODÁIL
TÁ SÉ COSÚIL LE IRN-BRU, ACH NÍOS FEARR!

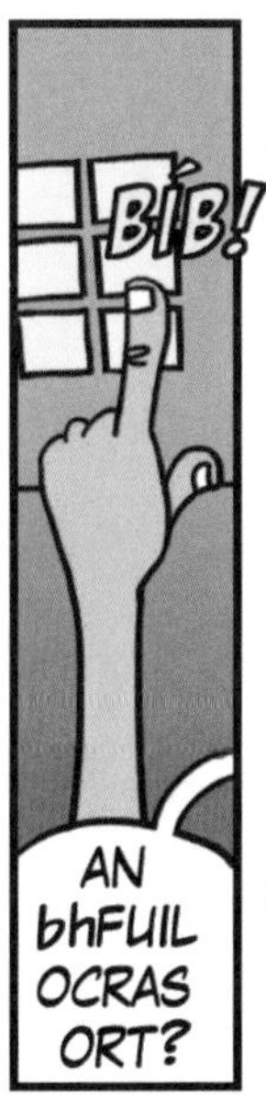
BÍB!
AN bhFUIL OCRAS ORT?

SEA, A DHUINE UASAIL?
BA MHAITH LINN PENNE ALL'ARRABIATA A ORDÚ
AGUS AN LASAGNE

Z Z Z
ANOIS, LUÍFIDH MUID SIAR AGUS BAINFIDH MUID SULT AS AN EITILT!
MMM...
AN IODÁIL

AIGH!
PLAP!

SIN AN DARA hUAIR A D'IONSAIGH TÚ MO BHEAN CHÉILE!!!
NÍ DHEARNA MÉ...

TAR AR AIS ANSEO!
AN IODÁIL
CUIDIGH!

CUIDIGH LINN, A CHAIFTÍN!
FAN GO bhFAIGHIDH MISE GREIM ORT!

TÁ AN FEAR MIRE SEO AG IARRAIDH MÉ A MHARÚ!

CÉ hÉ AN BOC SEO?
COINNIGH SÍOS É, A SHÉAMAIS!
TABHARFAIDH MÉ AN tEITLEÁN AR AIS GO BAILE ÁTHA CLIATH!

AGUS MAR SIN...
ACH BHÍ MUIDNE AR ÁR mBEALACH GO LOCH GARDA!
THIG LEAT SULT A BHAINT AS AN RADHARC AR AN LOCH ÁITIÚIL Ó STÁISIÚN NA nGARDAÍ INA ÁIT!
GRR! MHILL TÚ MO LAETHA SAOIRE, A AMADÁIN!

MICÍ S'AGAINNE

Ó, FÉACH! TÁ BUIDÉAL SAN FHARRAIGE!
CIBÉ CAIDÉ

AN bhFUIL RUD AR BITH ANN?

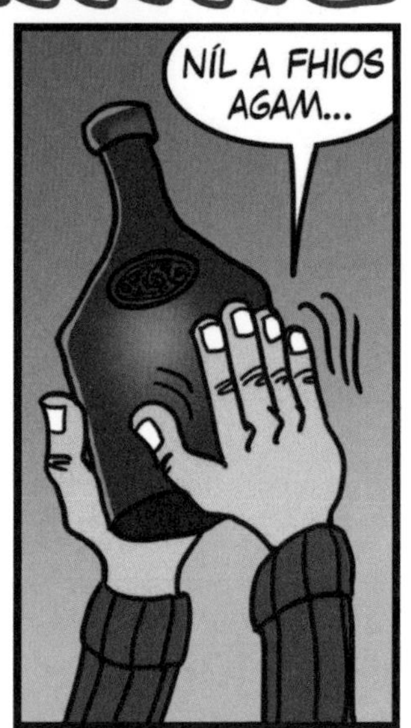
NÍL A FHIOS AGAM...

CAIDÉ DO MHIAN, A MHÁISTIR?
BA MHAITH LIOM A BHEITH AG DÉANAMH BOLG LE GRÉIN AMUIGH SA SPÁINN!
BHUIS
CIBÉ CAIDÉ

CAIDÉ DO MHIAN, A MHÁISTIR?
BHUIS
!
TÁ MÉ UAIGNEACH! BA MHAITH LIOM A BHEITH LE MO CHARA!

FAN GO bhFAIGHIDH MISE GREIM ORT!
HÁ! HÁ!
AIGH!

MICÍ S'AGAINNE

ÁDH MÓR LE DO THRIAIL TIOMÁNA INNIU, A MHICÍ
NÁ BÍ BUARTHA. NÍ BHEIDH AON ÁDH DE DHÍTH ORMSA

COINNIGH D'INTINN DÍRITHE AR AN BHÓTHAR AGUS BEIDH TÚ I gCEART
SEA, SEA! CIBÉ CAIDÉ!

AN COMHARTHA BÓTHAIR É SIN?

An Astráil

PLAB!

SHÍL MÉ GO RAIBH MÉ SAN ASTRÁIL!
NÍ SAN ASTRÁIL ATÁ TÚ, A BHUACHAILL, ACH SAN FHAOPACH!

MICÍ S'AGAINNE

A BHEAN BHEAG BHÍDEACH, BÍODH A FHIOS AGAT NACH bhFUIL TÚ INCHURTHA LE...
SHAUN!
!

A GHRÁINNE, CÁ hÁIT FAOIN SPÉIR A bhFUAIR SÉ AN POTA SÍORAÍOCHTA DEIREANACH UAIDH?
SHHH!
CIÚNAS! A AMADÁIN!

TÁ TÚ MÍCHEART! NÍL FIONNUALA NIC CUMHAILL CHUN GÉILLEADH!
GLAC SIN!

M'ANAM!

AGUS ARÍS EILE, CUIRTEAR SÍOCHÁIN DOMHANDA AR BUN!
GLUB! GLUB!

NÍOS MOILLE...
M'ANAM! B'IONTACH AN SCANNÁN É SIN!
BHÍ NA MAISÍOCHTAÍ 3-D AR FHEABHAS!
NÍL A FHIOS AGAM... CUIREANN IMAX TINNEAS CINN ORM I gCÓNAÍ!

AN bhFACA TÚ É NUAIR A THROID SÍ IN ÉADAN NA hABHAIC NÚICLÉACHA AG AN TÚS?
Ó!
SMÍSTE!
HMM! SEA, DÉARFAINN GO bhFUIL AN tSÚIL DHUBH IN 3-D CEART GO LEOR!
CNEAD!
AN BUA LE FIONNUALA NIC CUMHAILL, AG FÁIL LÁMH IN UACHTAR AR MHICÍ TRÉAN!

MICÍ S'AGAINNE

NACH bhFUIL OBAIR AN MHAISITHEORA SIN GO hIONTACH?
NÍL!
IS SÓRT EALAÍONTÓIR MISE. D'FHÉADFAINN FÉIN É A DHÉANAMH NÍOS FEARR!
Nollaig
FAIGH A UIMHIR FÓIN ÓNA VEAIN AGUS FIAFRAIGH DE CÉN TÁILLE A GHEARRANN SÉ AR FHUINNEOG!

CAIDÉ DO THÁILLE?
CÉAD EURO AR FHUINNEOG AMHÁIN
MAISIÚ
FUINNEO
FÓN : 086

BAINFIDH MÉ TRIAIL AS AN tSIOPA SEO!
ÁDH MÓR!
FEICFIDH MÉ AR BALL THÚ!

AGUS MAR SIN...
A FHIR ÓIG, AN bhFUIL MÓRÁN TAITHÍ AGAT MAR MHAISITHEOIR?
Ó TÁ, A BHEAN UASAL!
AGUS NÍL ACH TÁILLE OCHTÓ EURO I gCEIST

NÍOS MOILLE...
TÁ AN MAISIÚCHÁN CRÍOCHNAITHE!
GO MAITH!
FÉACHFAIDH MÉ É ÓN TAOBH AMUIGH

AN MAITH LEAT NA SÍOGAITHE, A BHEAN UASAL?
?!

BÍ AMUIGH!
AN bhFUIL TÚ AG IARRAIDH MO GHNÓ A MHILLEADH?

A CHAIMILÉIR!
NOLLAIG SHONA DUIT
??
NÍ THUIGIM!

MICÍ S'AGAINNE

AN bhFUIL TÚ AG GLACADH PÁIRTE I bPARÁID LÁ FHÉILE PÁDRAIG I mBLIANA?
GHEOBHAIDH TÚ AMACH GAN MHOILL. IS IOMAÍ UAIR A BHRIS SRÓN DUINE A BHÉAL!

NÍOS MOILLE...
CAIDÉ ATÁ AR BUN AIGE?

CAIDÉ ATÁ Á DHÉANAMH AIGE?

FAOI DHIA, CAIDÉ ATÁ AR SIÚL AIGE?
SCOIL TIOMÁNA

LÁ FHÉILE PÁDRAIG...
AN RÓGAIRE!
PÁDRAIG AG TIOMÁINT NA NATHRACHA AS ÉIRINN

éabhlóid

Ící Pící
Nellie Nic Giolla Bhríde

Ící Pící
Amhráin agus dánta nuachumtha
€16 (le dlúthdhiosca)

Tomhas orm, Tomhas ort!
Eoghan Mac Giolla Bhríde
Sinéad Ní Chadhain

Tomhas Orm, Tomhas Ort!
Bailiúchán tomhasanna ón bhéaloideas
€12

An Bogha Báistí
Dánta do pháistí

An Bogha Báistí
Dánta nuachumtha do pháistí óga
€8

Báidín Fheidhlimidh
Báidín Fheidhlimidh
Báidín Fheidhlimidh

Báidín Fheidhlimidh
Amhráin agus dánta traidisiúnta
€16 (le dlúthdhioscaí)

ní THUigimse daoine FÁSTA
Nellie Nic Giolla Bhríde

Ní thuigimse daoine fásta
Dánta agus amhráin nuachumtha
€14 (le dlúthdhiosca)

An Prionsa Beag
ANTOINE DE SAINT-EXUPÉRY

An Prionsa Beag
Úrscéilín do dhaoine óga
€12

Ordaigh ar líne ag
www.eabhloid.com

Carraic
Gaoth Dobhair
Co. Dhún na nGall

eolas@eabhloid.com

100 Cuarbhóthar Thuaidh
Baile Átha Cliath 7
☎ 01 8681428